Norbert und die Arktis

Querkopf ®-Bücher aus dem Graphiti-Verlag sind:

- Bilderbücher und Vorlesetexte mit eingebautem Kamishibai-Effekt

- eine Erfindung des Graphiti-Verlags aus der Tradition der europäischen Buch- und Vorlesekultur für heute

- Vorlesende können das Buch bequem einer Gruppe präsentieren und dabei ohne Verrenkungen vorlesen

- Durch das kalenderähnliche Querformat sind die Bildertafeln großflächig und gut zu sehen

- Querkopf ®-Bücher aus dem Graphiti-Verlag: Das neue Vorlese- und Leseerlebnis

- Querkopf ®-Bücher sind besonders geeignet für Kindergärten, Schulen, Kitas und das Vorlesen zuhause auf dem Sofa oder am Kinderbett

Norbert, der Drache:

Norbert und das Geschenk
Norbert muss nach Russland
Norbert und die Wüste
Norbert und der Schatz
Norbert – Das Ausmalbuch

Die Geschichten von Norbert
erscheinen auch in Spanisch, Englisch,
Französisch, Italienisch und Russisch.

INGRID BÜRGER

Norbert und die Arktis

Illustriert von der Autorin

graphiti-verlag.de

Bibliografische Information der Deutschen Nationalbibliothek:
Die Deutsche Nationalbibliothek verzeichnet diese Publikation
in der Deutschen Nationalbibliografie; detaillierte bibliografische
Daten sind im Internet über http://dnb.dnb.de abrufbar.

Graphiti-Verlag
Beautemps & Pfeiffer GbR
Dieffenbachstraße 78
D – 10967 Berlin
E-Mail: info@graphiti-verlag.de

Unser gesamtes Programm und weitere Informationen finden Sie unter:
www.graphiti-verlag.de

1. Auflage
Querkopf® ist eine Marke des Graphiti-Verlags
Redaktionelle Leitung: Michael Beautemps
Umschlaggestaltung: Lucy Wiesenfeld
Illustrationen: Ingrid Bürger
Satz und Herstellung: graphiti-verlag

ISBN (Print): 978-3-95999-124-7

Ich möchte die Gelegenheit nutzen, meine langjährige Freundin Mora Macentire zu erwähnen.
An dem Tag, als sie mir von ihrem Enkel erzählte, wie er sie gnadenlos drängte, ihm Geschichten zu erzählen,
und sie sich plötzlich von radfahrenden Drachen reden hörte, entstand in meinen Herzen »Norbert, der Drache«.
Ich machte eine Zeichnung und schon war er geboren.
Dann hatte ich das große Glück, Michael Beautemps und Boris Pfeiffer vom Graphiti-Verlag Berlin zu begegnen.
Sie machen es möglich, dass Norbert in einer Serie noch viele Abenteuer erleben kann.
Dafür meinen innigsten Dank.

Es ist mitten im Sommer und die Sonne scheint aus voller Kraft.

Norbert, der Drache, und Carlos, die Möwe, sitzen im Schatten unter dem Sonnenschirm.

Beide halten ein Glas Sprudelwasser mit Eiswürfeln darin in den Händen, trotzdem stöhnt Norbert: »Mann, ist das heiß ...!«

»Geh doch ins Meer und kühl dich im Wasser ab«, schlägt Carlos vor.

»Keine Lust«, raunzt Norbert schlecht gelaunt.

»Dann geh doch ins Haus. Da ist es kühler«, versucht es Carlos noch einmal.

»Langweilig«, grummelt Norbert.

»Na, dann kann ich dir auch nicht helfen«, grummelt Carlos zurück und gibt auf.

Susanne, der blaue Schmetterling, gesellt sich zu den Freunden. »Wisst ihr noch, als Darwin von Eisbergen in einem eiskalten Meer erzählt hat?«.

»Ja!«, ruft Norbert. Plötzlich ist er sehr interessiert.

»Ach, was«, knurrt Carlos abfällig. »Darwin mit seinen Geschichten. Die alte Schildkröte wollte sich bestimmt nur interessant machen. Eisberge in einem eiskalten Meer! Wer glaubt denn so was?«

»Ich glaube so was!«, ruft Norbert und springt auf. »Das ist die Idee. Los, holt eure Winterschals. Wir finden die Eisberge und kühlen uns ab!«

»Ich brauche keinen Schal«, ruft Susanne aufgeregt. »Mir reicht ein Faden von den Wollfransen an deinem, Norbert.«

»Ich brauche auch keinen Schal«, kreischt Carlos. »Weil ich nämlich schön hier bleibe!«

»Na, dann bis bald, Carlos«, ruft Norbert. «Obwohl ich dich nicht gerne alleine lasse!«

In diesem Moment wird Oskar, die stille Schlange, wach. Er zischt: »Was heißt denn hier alleine lassen? Ich bin ja schließlich wohl auch noch da!«

»Stimmt«, lacht Norbert. »Dann pass mir gut auf Carlos auf, Oskar!«

Mit diesen Worten machen sich Norbert und Susanne auf den Weg.

Um besser voran zu kommen, entscheidet sich Norbert, hoch über dem Hauptverkehr der vielen Vögel zu fliegen.

»Darwin hat gesagt, dass es immer geradeaus geht – und zwar immer in die entgegengesetzte Richtung der Mittagssonne«, erklärt Norbert konzentriert.

»Abends kommt man dann ans Meer und fliegt die ganze Nacht durch. Und bei Sonnenaufgang soll man schon die ersten Eisberge unter sich sehen können.«

»Und fliegen geht schneller als schwimmen!«, meint Susanne.

Aber erst einmal geht es über die Berge.

»Da kommt aber eine dicke Wolke!«, ruft Susanne.

»Wir fliegen einfach mitten durch«, bekommt sie von Norbert zur Antwort.

»Damit wir die Richtung nicht verlieren. Setz dich doch auf meinen Rücken. Das wird ein langer Flug«

»Nein, nein!«, entgegnet Susanne stolz. »Ich bin zwar klein aber auch leicht. Ich schaffe das schon!«

Am Abend erreichen die beiden tatsächlich das Meer. Und dann wird es Nacht.

»Kann ich mich doch auf deinen Rücken legen, Norbert?«, fragt Susanne erschöpft.

»Klar doch!«, meint Norbert.

Susanne legt sich hin und schläft sofort ein.

Am dunklen Nachthimmel leuchten unzählige Sterne und weisen Norbert den Weg.

Ein bisschen müde ist er jetzt auch. Aber natürlich darf er jetzt nicht schlafen.

Zum Glück ist die Luft kühl und der Wind sanft. Die Nacht ist so still, dass Norbert sogar Susannes kleines Schmetterlingsschnarchen hören kann.

So gleiten die beiden ruhig dem Sonnenaufgang entgegen.

Dann geht alles auf einmal ganz schnell.

Es wird immer heller. Susanne wacht auf und gähnt, während sie ihre ausgeruhten Flügel streckt. «Guten Mooooooorgen, Noooorbert ...!«

Da geht die Sonne ganz auf und die beiden erblicken eine herrlich weiße Eislandschaft unter sich im Meer. Die ganze Welt glitzert im Sonnenlicht.

»Bin ich wach, oder träume ich noch?«, staunt Susanne.

»Du träumst nicht! Wir haben es geschafft!«, brüllt Norbert. »Schau dir das an. Darwin hat nicht geschwindelt. Ich hab es doch gewusst!«

»Unglaublich«, flüstert Susanne. »Und kuck mal, da wohnen welche ...«

»Das müssen wir uns genauer anschauen. Komm, wir landen!«, ruft Norbert begeistert.

Kaum aber hat Norbert die Fußspitzen auf den kalten Boden gesetzt, ertönt hinter ihnen das lauteste Gebrüll, das die beiden je gehört haben.

Norbert fährt herum. Da steht eine große, weiße Bärenmutter mit ihren zwei kleinen Bärenkindern und zeigt ihre scharfen, weißen Zähne.

»Das sind Eisbären!«, entfährt es Susanne. »Ich glaube, von denen hatte Darwin auch erzählt.«

»ja, ja, ja, ja, ja!«, flüstert Norbert. »Und eine Mutter, die ihre Kinder beschützt, kann sehr gefährlich sein. Sie will uns bestimmt verjagen. Schnell weg hier, Susanne!«

Schon ist Norbert wieder hoch oben in der Luft.

Susanne bleibt lieber ganz in seiner Nähe.

Inzwischen haben die anderen Eisbergbewohner gemerkt, dass irgendetwas los ist. Sie kommen neugierig angeschwommen, angewatschelt und angerobbt. Alle sehen nach oben.

»Guckt mal, da sind ein großer Grüner und ein kleiner Blauer!«, ruft einer.

»So was habe ich noch nie gesehen!«, schreit ein anderer.

Dann reden sie auf einmal alle durcheinander.

Norbert und Susanne staunen auch nicht schlecht.

Susanne ist stolz. Sie kann jedes Tier benennen, denn sie hat gut zugehört, als Darwin von diesem Teil der Erde erzählt hat. »Die mit dem roten Hals sind Pinguine. Die weißen sind Eisbären. Das große, dicke Tier ist ein Walross. Und die grauen, dicken da, sind Seehunde.«

»Ich muss irgendwo landen«, stöhnt Norbert überwältigt.

Das hat er sich so gedacht!

Der nette Vogel schreit noch: »Pass auf! Das Eis ist glatt! Du musst beim Landen in die Knie gehen, sonst rutscht du aus!«

Aber die Warnung kommt zu spät.

Norbert hat schon falsch aufgesetzt. Er rutscht aus und es reißt ihm die Beine hoch in die Luft. Schneebrocken fliegen ihm um die Ohren und er landet unsanft auf dem Rücken.

Eigentlich will er »Hiiiiiiiiilfe!« schreien. Aber aus seinem Mund kommt nur ein lautes: »WAAAAAAAAAHHHHH ...«

Jetzt geht es abwärts. Norbert ist starr vor Schreck und die Rutschpartie wird immer schneller.

»Du musst bremsen!«, brüllt Susanne.

»Wie denn? Ich kann nicht!«, brüllt Norbert zurück.

Alle anderen sind auch erschrocken. »Um Himmels Willen!«, brummt die Eisbärmutter besorgt.

»Er darf auf keinen Fall ins eiskalte Wasser rutschen!«

Da meldet sich Roswitha, die Walrossdame, zu Wort: »Mach dir keine Sorgen. Die Rettung übernehme ich.«

Sie robbt so schnell sie kann an die richtige Stelle, um Norbert abzufangen und erreicht ihn genau im richtigen Moment.

Rrrrrrums ...

Kurz vor dem Sturz ins kalte Wasser kracht Norbert mit vollem Karacho gegen die Walrossdame. Rund um ihn und Roswitha fliegt der Schnee auf und spritzt in alle Richtungen davon.

»Gerettet!«, jubelt Susanne überglücklich. »Hat sich jemand weh getan?«

»Ich nicht«, antwortet Roswitha. »So einen Drachensturzrutsch halte ich locker aus« Sie kneift die Augen zusammen, damit kein Schnee reinfliegt.

»Ich halte das auch locker aus«, ächzt Norbert.

In diesem Moment beginnen die Pinguine zu kichern. Dann lachen die beiden Bärenkinder. Und plötzlich kann sich keiner mehr halten vor Lachen.

Auch Norbert nicht.

Alle Tiere kommen näher, um den großen Grünen und den kleinen Blauen besser sehen zu können.

Norbert ist noch ein bisschen zitterig vor Schreck. Dankbar lässt er sich von einem Pinguin auf die Beine helfen.

»Warum darf der Fremde nicht ins Wasser rutschen?«, will ein frecher Seehund wissen. »Wir rutschen doch auch dauernd ins Wasser.«

»Wir haben alle eine dicke Fettschicht, die uns vor der Kälte schützt«, erklärt Roswitha. »Der Fremde hat keine Fettschicht und erkältet sich sonst ganz schlimm im Eismeer.«

»Aber er hat einen dicken Bauch!«, kichert der vorlaute Eisbärjunge.

Die Pinguine lachen sich fast kaputt.

Das ärgert Susanne und sie schimpft: »Ihr braucht gar nicht so zu lachen. Die einzige hier ohne dicken Bauch bin ja wohl ich!«

Die Pinguine schauen auf ihre Bäuche und müssen noch mehr lachen.

Da meldet sich Norbert zu Wort: »Ich habe keine dicke Fettschicht, aber ich habe eine tolle Idee. Geht doch mal bitte alle kurz in Deckung.

Mit zwei kräftigen Flügelschlägen ist Norbert plötzlich hoch oben in der Luft. Er richtet seinen glühend heißen Feuerstrahl gegen die gefrorene Wand des Eisberges. So, wie es nur Feuerdrachen können. Mit lautem Zischen schmelzen die Flammen das Eis. Eine riesige Dampfwolke bildet sich. Man kann gar nichts mehr erkennen.

Jeder macht, dass er so schnell wie möglich in Deckung kommt.

Der kleine Eisbär ruft seinem Bruder zu: »Gut, dass wir eine dicke Fettschicht haben!« Mit einem lauten Platsch springt er ins eiskalte Wasser.

Susanne ist gespannt, was das werden soll.

Kurz darauf ist Norbert fertig mit seinem Kunstwerk.

Die Dampfwolke verschwindet und die Eisbären, die Pinguine, die Seehunde, die Walrossdame Roswitha und Susanne trauen ihren Augen nicht.

Vor ihnen steht eine traumhafte Riesenrutschbahn mit Tunnel und Looping, die Norbert in den Eisberg geschmolzen hat.

Da kommt er auch schon angerutscht und ruft aus vollem Halse: »Wer hat noch nicht! Wer will nochmal!? Ein riesen Spaß für Jedermann! JUHUUUUUUUUUUUUUUU!«

Plötzlich geht das Gedrängel los. Jeder will so schnell wie möglich die tolle Rutschbahn ausprobieren.

Gleich darauf sind alle auf der Rutschbahn unterwegs und machen ein riesen Geschrei.

Sogar die strenge Bärenmamma ist dabei. »Waaaaaaaaaah!« ruft sie erschrocken. »Schneller, schneller!«, rufen ihre Kinder.

Die Pinguine schnattern durcheinander: »Guckt mal, ich. Guckt mich an. Guckt was ich kann!«

»Roswitha!«, brüllt der vorlaute Seehund so laut er kann. »Das macht Spaß. Du musst auch mal rutschen!«

Doch da kann die Walrossdame nur mit dem Kopf schütteln. »Ich passe lieber auf, dass die Fremden nicht doch noch ins kalte Wasser rutschen«, antwortet sie dem Seehund. Und zu sich selbst sagt sie ganz leise: »Wie kann man sich nur so gehen lassen?«

Die Seehunde, die Pinguine und die Eisbären scheinen überhaupt nicht müde zu werden.

Jeder will der wildeste Rutscher von allen sein. Da kommt schon mal einer ins Schleudern und mit glücklichem Geschrei krachen dann alle auf einen Haufen.

Das macht besonders Spaß, obwohl man sich dabei auch manchmal ein kleines bisschen weh tut.

Norbert und Susanne wird es allerdings langsamm richtig kalt.

»Ihr habt halt keine dicke Fettschicht!« sagt Roswitha verständnissvoll.

»Ja eben«, bibbert Norbert. »Wir würden wirklich gerne noch bleiben, aber ich glaube, wir müssen jetzt zurück in unser warmes Zuhause.«

Norbert bedankt sich noch einmal ganz herzlich bei Roswitha, weil sie verhindert hat, dass er so ganz ohne dicke Fettschicht ins eiskalte Wasser gerutscht ist.

»Hier wird man noch lange von euch beiden erzählen«, lacht die Walrossdame.

»Dann richte den anderen einen schönen Gruß von uns aus, wenn sie fertig sind mit Rutschen!«, rufen Norbert und Susanne.

Zum Abschied schenkt Roswitha Norbert ihre Kette mit dem Zahnanhänger.

Und Norbert gibt Roswitha seinen Schal.

Dann geht es Richtung Heimat.

Und obwohl sie auch traurig sind, müssen Norbert und Susanne lachen.

Die Pinguine haben nämlich einen Rutschzug gebildet und singen mit lauten Stimmen ihre Pinguinlieder.

Auch auf dem Rückflug geht es wieder die ganze Nacht über das Meer.

Die Luft wird schon spürbar wärmer.

»Wann sind wir denn da?«, will Susanne wissen.

»Bei dem starken Rückenwind komme ich schnell voran. Zum Frühstück sind wir zuhause«, antwortet Norbert. Er ist jetzt auch etwas müde.

»Soll ich dir etwas vorsingen, damit du nicht ausversehen einschläfst?«, ruft Susanne besorgt.

»Nein, nein«, meint Norbert. »Schlaf du nur! Ich überlege mir solange schon Mal, was ich Carlos alles erzählen werde.«

Kaum sagt er das, ist Susanne auch schon eingeschlafen.

Wenn man genau hinhört, kann man wieder ihr ganz leises Schmetterlingsschnarchen hören.

Dann geht die Sonne auf. Schnell wird es hell und warm.

Norbert hat es tatsächlich geschafft, pünktlich zum Frühstück sein Zuhause zu überfliegen.

»Ihr seid wieder da!«, freut sich Carlos lautstark. »Die Frühstücksbrötchen sind gleich fertig.«

»Siehst du«, lacht Susanne. »Ich sage doch schon die ganze Zeit, dass es nach frischen Brötchen riecht.«

»Schau mal, Carlos!«, ruft Norbert glücklich. »Ich habe eine Kette mit einem Wahlrosszahn!«

»Was ist das denn?«, will Carlos wissen. »Aber kommt doch erst einmal runter. Ich schmiere ein paar Brötchen mit Himbeermarmelade. Ihr habt doch bestimmt Hunger.«

»Carlos, du bist der Beste!«, rufen Susanne und Norbert wie aus einem Mund und setzen zur Landung an.

Norbert hat sich sofort in seinen geliebten Klappstuhl gekuschelt. Jetzt merkt er erst, wie erschöpft und müde er ist. Schließlich hat er zwei Nächte hintereinander nicht geschlafen und viel erlebt.

Das ist auch für einen Drachen ganz schön anstrengend.

Als Carlos mit dem Frühstückstablett kommt, findet er einen fast schon schlafenden Drachen vor.

»Norbert schläft ja gleich ein!«, ruft er überrascht. »Was murmelt er da von Fettschicht?«

»Ach lass nur«, lacht Susanne. »Wenn er ausgeschlafen hat, erzählt er dir sowieso alles mindestens noch fünfmal.«

Und während sich Oskar, die stille Schlange, über ein Stückchen Himbeermarmeladenbrötchen freut. Und Susanne sich hungrig über ein anderes kleines Stückchen Himbeermarmeladenbrötchen hermacht. Und während Mäuse, Eidechsen, Ameisen und Käfer alle gemütlich noch ein anderes kleines Stückchen Himbeermarmeladenbrötchen frühstücken – fällt Norbert, der Drache, in einen tiefen, erholsamen Schlaf.

Norbert und sein Freund – – eine Bildergeschichte

Hier kannst Du Norbert ausmalen

Ingrid Bürger wurde in Franken geboren, ist in Oberbayern aufgewachsen und lebt in Spanien. Sie hat zwei Kinder.

Als Autodidaktin arbeitete sie am Innenausbau alter, andalusischer Häuser und spezialisierte sich dabei auf die Restauration verzierter Einbaumöbel. Sie begann Gipsskulpturen zu fertigen und Aquarelle und Ölbilder zu malen.

Nach einer Fortbildung im Bereich Erziehungswesen arbeitete sie zehn Jahre als Betreuerin von verhaltensauffälligen Jugendlichen in deutschen Auslandsprojekten.

Die Erfahrungen aus diesen beiden Lebensbereichen finden heute Eingang in das Schreiben und Zeichnen ihrer Geschichten, ihrer Lieblingsbeschäftigung.

Die Autorin arbeitet an neuen Geschichten um Norbert, den Drachen.